Mon chien est raciste

AUDREN

Dessins de **Clément Oubrerie**

Mon chien est raciste

ALBIN MICHEL JEUNESSE

Pour Donuts Fages.
Il comprendra...
Audren

22, rue Huyghens, 75014 Paris
www.albin-michel.fr

CHAPITRE 1

Un dimanche, en sortant de chez moi pour aller au cinéma avec mes parents, je trouvai un chiot qui dormait sur notre paillasson. Il était tout petit et tout blanc. Tout doux aussi. Il pleurait un peu et tremblait beaucoup.

Afin de retrouver son maître, je dus sonner aux portes de nos voisins de palier. Ils sortirent tous de chez eux pour voir ce chiot qui n'était pas le leur. Seule madame

Orpanifluz refusa de m'ouvrir. Comme d'habitude, elle avait peur d'être agressée par « des voyous basanés ». Il fallut insister. La vieille dame consentit finalement à répondre, sans pour autant se montrer.

– J'ai pas d'chien ! Ça chlingue.

Ce chien-là ne sentait pas mauvais du tout, bien au contraire. Je le portais fièrement dans mes bras. Les voisins le trouvaient tous a-do-ra-ble. À tour de rôle, ils lui frottaient le museau puis rentraient chez eux, après avoir échangé quelques politesses avec mes parents qui m'accompagnaient dans mon enquête.

CHAPITRE 1

Mon père me demanda d'aller sonner au deuxième étage, pendant que lui se chargerait du troisième et Maman, du quatrième et du cinquième. Le cinquième tout entier était occupé par monsieur Rizot, un homme très riche, producteur de cinéma. Mon père l'appelait Risotto. Ma mère, elle, l'appelait le vip. Au début, j'avais pensé que « vip » était le masculin de « vipère », et j'avais donc, de mon côté, baptisé l'homme « le Serpent ». Mais Maman avait fini par me donner le sens de ces trois initiales : de l'anglais *Very Important Person* (« personne très importante »). Je compris qu'elle n'osait pas aller frapper à la porte du vip, parce qu'il était une célébrité.

Papa démontra à Maman que tous les hommes étaient semblables et qu'elle n'avait plus l'âge de faire des chichis.

–Tu n'as qu'à l'imaginer sur les toilettes, il ne te fera plus peur, ajouta-t-il avec un sourire.

Ma mère avait l'air absent. Elle regardait en l'air. Lorsqu'elle fixait le plafond, elle finissait toujours par poser une question bizarre.

– Tu crois que ses toilettes sont en marbre ? demanda-t-elle, avec un air de petite fille qui rêve de palais princiers.

– Bien sûr, Sonia ! plaisanta mon père. Et sa chasse d'eau est en fait remplie de champagne.

Le chiot se mit à japper et interrompit la conversation passionnante de mes parents.

Après avoir sonné à toutes les portes, et entendu chaque voisin nous dire que le chiot était a-do-ra-ble, nous nous rendîmes au cinquième étage, en famille. Devant le Serpent, l'union ferait la force. Dans l'ascenseur, ma mère remit au moins dix fois ses cheveux en place.

– C'est bon ! T'es belle, je t'assure ! Il va sûrement t'engager dans son prochain film, lui jura mon père, l'air amusé.

Puis il passa à son tour la main dans ses cheveux et tira sur son tee-shirt, pour avoir l'air plus élégant.

Le chiot, lui, se fichait pas mal de ce que l'on pensait de lui. Je sentis soudain son pipi chaud mouiller mon pull et poussai un cri surpris. Ma mère ouvrit des yeux paniqués et utilisa son foulard pour éponger ce qui avait coulé par terre. Papa lui fit remarquer qu'une serpillière aurait été plus appropriée, mais Maman s'en voulait à l'idée d'avoir sali l'étage du vip.

Une jolie femme souriante nous reçut. Le chien se mit à grogner après elle. Il semblait la reconnaître et la craindre. Pourtant, elle nous confia qu'Armand (le vip) n'avait jamais pu avoir de chien, compte tenu de ses nombreux déplacements à l'étranger. Ma mère répétait «Je comprends, je comprends» tout en essayant d'espionner l'appartement de Risotto. Elle espérait l'y apercevoir quelque part.

Il y avait bien, au milieu du salon, un canapé bizarre et rond, qui tournait tout seul, comme un tourniquet, mais Risotto n'était pas dessus. Pas ailleurs non plus. Je l'aurais facilement reconnu. Il avait une barbiche de diable, blanche d'un côté, noire de l'autre. Il aurait pu jouer le rôle du frère de Cruella d'enfer, dans *Les 101 Dalmatiens*.

Nous avions raté l'heure de la séance de cinéma, le chien s'était endormi dans mes bras, mon pull sentait le pipi, ma mère ne s'arrêtait plus de décrire tout ce qu'elle avait repéré dans l'appartement du vip, en s'interrogeant sur la fonction d'un canapé pareil. Mon père n'évoquait plus que cette très belle femme, qu'il n'avait jamais vue avant.

– Tu crois qu'elle est la compagne de Risotto ? demanda-t-il à trois reprises, en redescendant chez nous.

On ne parlait plus du tout du chiot. Je jubilais secrètement. Je savais que nous n'allions pas pouvoir le laisser sur le palier. Pendant quelques heures au moins, j'allais avoir un chien rien qu'à moi.

CHAPITRE 2

– Et si personne ne le réclame, qu'est-ce qu'on va en faire ? m'alarmai-je, un quart d'heure plus tard.

Le chiot lapait déjà un bol de lait dans notre cuisine. J'en lapai un, moi aussi, à quatre pattes, à côté de lui, pour lui faire comprendre que j'étais son frère.

– On l'amènera à la SPA, répliqua mon père, sans réfléchir.

Papa manquait parfois de tact.

Ma mère tenta de lui faire entendre qu'on « maltraitait » les chiens à la fourrière. Elle n'utilisait pas le mot adapté pour éviter de m'inquiéter.

– Ne te fatigue pas, lui dis-je. Je sais bien qu'ils euthanasient les animaux au bout de quelques jours.

Mon père me félicita pour mon vocabulaire.

CHAPITRE 2

– Je vais finir par croire qu'on vous apprend des trucs à l'école, ajouta-t-il.

– Non, j'ai appris ça dans un jeu vidéo, précisai-je. Quand ton cheval est blessé, tu dois l'euthanasier pour qu'il ne souffre pas.

– Mais c'est cruel ! hurla ma mère. Tu vois, Tanguy, lança-t-elle à mon père, on devrait tester les jeux avant de les acheter à Maël.

– Tu sais, tu peux m'emprunter ma console quand tu veux. C'est pas la peine de chercher une excuse pour jouer… lui répondis-je.

Elle disparut au fond du couloir, en haussant les épaules, et en revint avec un vieux pull dans les mains. Elle le mit au fond de la corbeille de fruits dont on ne se servait jamais, parce qu'on mangeait toujours trop vite ce qu'on avait acheté. C'était un cadeau que tatie Cathy nous avait rapporté des Antilles. La sœur de mon père était mariée à un Antillais et vivait à Baie-Mahault, en Guadeloupe.

Ma mère déposa le chien dans son nouveau lit. Je me mis en boule à côté de lui. Mais le toutou ne resta pas plus de vingt secondes en place. Il voulait visiter notre maison. Ma mère hurlait :

– La moquette ! Maël !!! Ne le laisse pas aller sur la moquette ! Il va encore faire pipi.

Maman finit par mettre notre gros pompon blanc sur le balcon, mais il grattait la porte-fenêtre en pleurant et nous n'eûmes pas le courage de supporter ses gémissements très longtemps. Il paraissait si malheureux.

Mon dimanche fut très occupé. Je descendis chez l'épicier du coin acheter des croquettes pour chiot. Ma mère m'avait bien précisé : « Pour chiot, tu as bien entendu ? » Mais évidemment il n'y avait que des croquettes normales dans la boutique du coin de la rue. Alors, mon père me conduisit jusqu'au quartier piétonnier. Là, tous les magasins restaient ouverts les jours fériés.

À l'animalerie, je suggérai à Papa d'acheter une laisse au chien, pour pouvoir le sortir. Mais mon père refusa.

– Nous n'allons pas l'adopter de toute façon, commenta-t-il. Nous voulons juste le garder au chaud ce soir, rien de plus.

Un mois plus tard, le chien était toujours chez nous. Je l'avais appelé Minou parce qu'il ronronnait comme un chat.

Minou grognait aussi de temps en temps, comme il avait grogné après la jolie dame, chez le vip. Il grognait dans la rue, sans raison, ou parfois dans l'ascenseur quand on y croisait des voisins. Il était si petit que ses grognements n'effrayaient et ne gênaient pas grand monde. Seule madame Orpanifluz, l'œil scotché sur son judas, hurlait derrière sa porte.

CHAPITRE 2

– Pas de clébard sur le palier, ça chlingue ! En plus, regardez-moi ça ! Il est haut comme trois pommes et il fait tellement de potin que j'entends même plus le poste.

Madame Orpanifluz était un peu folle mais, pour une fois, elle n'avait pas tort. En effet, parfois, les grognements de Minou nous empêchaient effectivement, nous aussi, d'entendre la télévision et nous devions alors l'enfermer dans la salle de bains afin de retrouver le calme devant nos émissions. Le vétérinaire prétendait que les chiots qu'on a séparés trop tôt de leur mère pouvaient se comporter ainsi de manière étrange. Il avait bon espoir que les problèmes de notre chien s'arrangent avec le temps. À part ce petit défaut, Minou était le meilleur des chiens.

CHAPITRE 3

Souvent, le week-end, nous nous rendions à la campagne, chez mes grands-parents maternels. Malheureusement pour Minou, ma grand-mère avait sept chats et refusait la présence de notre chien chez eux. Elle disait qu'il allait semer la zizanie. La zizanie n'était pas une plante, mais un bazar à éviter si l'on voulait passer du bon temps. Ces samedis et ces dimanches-là, ma voisine et copine

de classe, Emma, venait donc chez nous jouer avec le chien et lui donner à manger. Tout se passait bien pour Minou qui aimait beaucoup Emma.

Pourtant un samedi, elle fut invitée à une fête de famille et je dus demander à Laurent de la remplacer. Laurent habitait aussi sur le palier et était également dans ma classe. Nous nous entendions bien, mais nous n'avions pas l'occasion de nous voir souvent dans l'immeuble. Il restait à l'étude le soir et passait son mercredi au centre de loisirs. Comme je m'absentais souvent en fin de semaine, nous ne trouvions le temps de discuter qu'à l'école. Je lui avais beaucoup parlé de mon chien, mais il ne l'avait vu que deux fois, dans l'ascenseur. Minou avait grogné d'ailleurs. Laurent avait bien ri.

CHAPITRE 3

– Il se prend pour un caïd ! Quel frimeur, ton chien ! avait-il constaté. Il est plutôt comique quand il montre ses petites dents riquiqui.

Minou avait aboyé alors, signifiant ainsi qu'on ne devait pas se moquer de lui.

Vers quatorze heures, le samedi, je déposai donc les clefs de notre appartement chez Laurent. Il avait l'air content que je lui confie cette mission.

Vers dix-huit heures, alors que je jouais au Scrabble avec mes grands-parents, sur leur terrasse, Papa reçut un coup de fil paniqué de la mère de Laurent. Minou avait empêché son fils d'entrer chez nous. Il avait même tenté de le mordre. La mère de Laurent avait essayé à son tour d'aller lui donner des croquettes, mais le chien avait alors recommencé à grogner en sortant les crocs. Puis il s'en était pris à la cheville de la pauvre dame comme si c'était un os à moelle.

Je me demandai si mon chien n'avait pas, tout simplement, décidé de se venger de ce que Laurent avait dit à son sujet dans l'ascenseur.

CHAPITRE 3

– Au lieu d'appeler votre chien Minou, vous auriez mieux fait de prendre un vrai chat, considéra ma grand-mère. Les chiens sont un peu bêtas, je trouve.

– Tu dis ça parce que tu n'as jamais eu de chien, lui reprocha ma mère. Ce sont des préjugés. Je n'aime pas les préjugés.

– Je dis ça parce que c'est une évidence. Cela fait à peine un mois que vous avez ce chiot et il vous pose déjà des problèmes… Et ce n'est qu'un début, je vous assure. La prochaine fois, vous prendrez un chat, c'est certain.

Mon grand-père nota qu'un chien vivait en général une quinzaine d'années, et qu'il était curieux de parler déjà de notre « prochaine fois ».

– Le temps passe bien plus vite qu'on ne le croit. On n'a pas le temps de se dire qu'on s'aime qu'on est déjà morts, bougonna-t-elle.

Mon père annonça que la maman de Laurent était en larmes. Il fallait rentrer à Paris pour comprendre ce qui avait bien pu se passer et constater « l'étendue des dégâts ».

Dans la voiture, j'observai :

– J'espère qu'ils ne sont pas trop étendus, les dégâts. Tout ça, c'est de ma faute ! Je n'aurais pas dû demander à Laurent de s'occuper de Minou. Ils ne se connaissaient pas assez tous les deux.

Ma mère m'apprit que certains chiens avaient parfois des réactions très surprenantes et que je ne pouvais rien contre la nature profonde de Minou.

Elle précisa que sa nature profonde était son caractère entier. Cela incluait même les choses qu'on ne connaissait pas de lui.

– Tu as une nature profonde, toi ? m'inquiétai-je.

– Comme tout le monde, Maël, comme tout le monde! répondit Maman, surprise par ma question.

– Tu veux dire qu'il y a des trucs que je ne connais pas de toi ?

– Forcément. Je crois même qu'il y a des trucs que moi, je ne connais pas de moi. Nous ne savons pas tout sur notre nature profonde. Nous ne nous connaissons pas complètement. Nous sommes tous un peu mystérieux pour nous-même, et pour les autres.

– Moi, je ne te trouve pas mystérieuse du tout, assurai-je. Minou non plus, je ne le trouve pas mystérieux. Je ne crois pas que vos natures à vous soient très profondes, en fait.

Mon père se mit à rire. Je détestais faire rire les gens quand je n'avais pas eu l'intention d'être drôle. Avec Papa, cela se

produisait souvent. Je l'amusais pour un rien. Je ne connaissais sans doute pas la partie comique de ma nature profonde.

CHAPITRE 4

Arrivé devant chez nous, Papa ne prit pas le temps d'ouvrir notre porte. Il fila directement chez Laurent. Sa mère reconnut qu'elle avait, sans doute, eu plus de peur que de mal. Sa cheville était encore un peu rouge mais le chien n'y avait, heureusement, pas laissé de traces de dents.

Mes parents s'excusèrent mille fois. Je déclarai que Minou avait visiblement un

problème avec sa nature profonde, mais la maman de Laurent rétorqua sans attendre :

– Il n'est pas juste un peu raciste, votre chien ?

Mes parents marquèrent un temps de sidération assez cocasse. Ma mère se mit à bafouiller. Elle pinçait ses lèvres et rajustait ses bagues comme si, tout à coup, elles n'étaient plus à la taille de ses doigts. Je connaissais ces gestes. Ils signifiaient son embarras.

– Ben, ben, heu, heu… j'crois pas quand même… Enfin, qu'est-ce que t'en penses toi, chéri ? Mais pourquoi vous… vous… vous dites ça ? Est-ce que c'est parce qu'il est tout blanc ?

– Je dis ça parce que je suis confrontée au racisme tous les jours. Je reconnais illico ceux qui n'aiment pas les Noirs, affirma la victime de Minou, en souriant gentiment.

– Je comprends bien, mais un chien ne peut pas être raciste, tout de même, soutint ma mère.

Comme Magali, la fille de la concierge, était venue à la rescousse de Laurent et n'avait, elle, rencontré aucun problème pour entrer chez nous, on supposa qu'effectivement Minou avait une dent contre Laurent et contre sa mère. Les grognements de Minou après Laurent dans l'ascenseur nous parurent soudain plus justifiés.

– Je ne pense pas que l'on puisse tirer de telles conclusions si rapidement. Minou est un peu bizarre de temps en temps, c'est vrai. Mais il paraît qu'il a été sevré trop tôt, expliqua mon père.

Ma mère tendit à la maman de Laurent le bouquet de fleurs qu'elle avait rapporté du jardin de ma grand-mère.

– Venez dîner demain soir, si vous voulez, proposa-t-elle. Il faut que l'on vous fasse oublier ce mauvais samedi.

La maman de Laurent avoua qu'elle avait un peu peur de remettre les pieds chez nous. Notre toutou, si petit fut-il, était devenu pour elle un monstre terrorisant. Maman nous invita donc tous au restaurant. Laurent n'avait pas de père. Je n'avais jamais su pourquoi. Il m'avait juste confié: « Ce sont des choses qui arrivent. » Alors je n'avais pas insisté. J'aurais eu peur de lui faire de la peine.

Mon père à moi, lui, riait aux éclats dès que Maman reparlait de l'éventuel racisme de Minou.

– Pourquoi ça existerait chez les hommes et pas chez les animaux ? demanda-t-elle.

– Parce que le racisme n'est pas un comportement répertorié chez les animaux, argua Papa.

Ma mère, peu convaincue, s'assit devant son ordinateur et lut à haute voix la définition du racisme :

– « Attitude d'hostilité systématique vis-à-vis d'une catégorie déterminée de personnes. »

Elle réfléchit et ajouta :

– N'empêche que la jolie femme chez le vip était noire, elle aussi. Maintenant je sais pourquoi Minou s'est manifesté ainsi en la voyant.

Mon père avait l'air agacé par l'obsession de ma mère. Les Noirs étaient aussi nombreux que les Blancs dans notre quartier et il n'avait pas l'impression que Minou destinait ses grognements plus particulièrement aux uns qu'aux autres.

Il alluma la télé. Maman, qui détestait le foot, ne put s'empêcher de grogner à son tour lorsqu'elle réalisa que nous nous apprêtions à regarder un match. Minou, lui, semblait ravi. Il se fichait des programmes mais aimait s'installer contre moi, sur le canapé.

Malheureusement, cinq minutes plus tard, il contredit ce que venait d'avancer mon père, en aboyant plus fort que jamais au moment où l'équipe du Cameroun entrait sur le stade.

– Je n'en reviens pas, je n'en reviens pas, répéta Papa. Ce n'est pas possible, ça ! Minou est vraiment raciste !

L'antipathie de notre chien à l'égard des Noirs se confirma plus encore, à mesure que je dressais la liste des émissions qui nous avaient régulièrement conduits à enfermer Minou dans la salle de bains. Nous réalisions petit à petit que son hostilité avait toujours été clairement ciblée.

Ma mère décréta qu'il fallait consulter le vétérinaire.

– Ça doit se soigner, supposa-t-elle.

– La connerie, ça se soigne difficilement, affirma mon père.

J'éclatai en sanglots.

– Mais Minou est intelligent et gentil !

– On peut se tromper sur les animaux, comme on peut se tromper sur les gens, assura Papa.

– Je ne me suis pas trompé, répliquai-je. Il a sûrement des raisons d'être comme il est.

– On ne peut pas avoir de raisons d'être raciste. Un point c'est tout. Il y a des choses qui sont inexcusables, s'énerva mon père.

Maman avait discrètement éteint la télé, afin que Minou se calme. Cela la dispensait aussi des commentaires sportifs qu'elle avait tant de mal à supporter.

Minou sentit ma tristesse et lécha mes larmes. Puis il s'allongea de nouveau sur le canapé, le museau posé sur ses deux pattes avant. Il semblait pensif.

– Peut-être qu'il a juste peur des Noirs, suggérai-je. Il faudrait lui expliquer qu'ils sont comme les Blancs.

– Pff! Va apprendre un truc pareil à un chien! répliqua mon père. Tu rêves! C'est déjà assez difficile de faire entendre ça à certains hommes...

Le lendemain, la mère de Laurent, croisée sur le palier, se félicita d'avoir deviné, avant tout le monde, ce qui rendait Minou infréquentable.

– Mais comment a-t-il pu en arriver là? demanda-t-elle à Maman.

Ma mère ne sut que répondre. Elle pinça ses lèvres et, comme d'habitude, rajusta ses bagues.

Tant que nous n'avions pas analysé la cause des grognements de Minou, son attitude dans la rue ne nous avait jamais réellement posé de problème. Cependant, depuis que nous avions mis un autre nom sur son agressivité, notre

culpabilité s'épaississait de jour en jour. En tant que maîtres de Minou, nous nous sentions responsables et honteux du racisme de notre chien.

Un collègue de mon père n'avait rien trouvé de mieux que d'aggraver notre mal-être en lâchant :

– Vous savez ce qu'on dit : tel maître, tel chien ! Votre clebs n'a certainement pas développé cette haine tout seul... Vous devez y être pour quelque chose, malgré vous...

Afin de lui prouver que Minou était déjà malade avant même qu'on l'adopte, mon père lui avait alors raconté l'épisode avec la voisine du cinquième. Papa utilisait beaucoup le mot « malade » à la place de « raciste ». J'ignorais s'il avait peur du mot « raciste» ou s'il sous-entendait ainsi que Minou était soignable.

À l'école, cette histoire me rendait très mal à l'aise. Je ne parlais plus qu'aux Noirs, histoire de racheter la bêtise de mon chien. Cependant Laurent, qui avait eu très peur lorsque Minou l'avait agressé, préférait, lui, ne plus m'adresser la parole, comme si Minou et moi ne formions plus qu'un seul être. Cette situation se répéta avec d'autres amis. Ils ne parvenaient pas à accepter qu'un animal puisse avoir des idées et des goûts différents de ceux de son maître.

Je me défendais en disant:

– Mon chien adore les croquettes, pas moi.

Mais il faut bien plus qu'une histoire de croquettes pour convaincre un groupe entier de changer d'avis. J'étais catalogué. J'étais devenu le garçon à éviter. Je me sentais rejeté. Ma quête d'amour auprès des Noirs de la classe me semblait ridicule, mais je ne savais vraiment plus comment me comporter.

CHAPITRE 5

Et puis, tatie Cathy nous annonça qu'elle allait passer deux semaines de vacances chez nous, avec son mari et ses deux enfants, Gabriel et Lucie. Mes parents se mirent à paniquer.

– Ça va être l'enfer ! murmura ma mère. Minou risque de les mordre. La famille de ta sœur est noire et notre chien est raciste… Quelle situation ! Comment veux-tu leur expliquer ça ?

– Ça risque d'être un peu chaud, fit Papa. C'est une plaie, ce toutou, quand même.

Les oreilles de Minou s'orientaient en direction de chaque personne qui parlait. Il avait l'air abattu.

– T'inquiète pas, lui dis-je tout bas. On va te guérir.

Ma mère, qui m'avait entendu, ajouta en plaisantant :

– Heureusement que son racisme n'est pas contagieux. Il ne nous manquerait plus que ça !

Papa répéta qu'il n'y avait malheureusement rien à faire contre ceux qui agissaient sans réfléchir. Selon lui, les gens et les animaux racistes avaient un petit pois à la place du cerveau.

Je pris Minou dans mes bras et l'emmenai dans ma chambre, à l'abri des insultes de mon père.

Je l'installai dans mon lit, sous ma couette. Nous avions tous les deux la tête posée sur l'oreiller. Je lui expliquai donc, au creux de l'oreille, ce qui nous irritait autant chez lui. Contrairement à mon père, j'avais confiance en son intelligence. Il saisissait tout ce que je lui racontais.

– Minou, on a un problème avec toi.

Minou sortit ses pattes avant de la couette et les allongea sur le couvre-lit. Il aimait bien m'imiter.

– Minou, tu sais, ce n'est pas normal de grogner quand tu vois des Noirs. Les Noirs ne sont pas plus méchants que les Blancs, ni que les Jaunes. Pas plus gentils non plus. Les Noirs sont des gens normaux. Pas des monstres, pas des êtres dangereux qui pourraient te faire du mal, pas des bandits non plus. Alors, il faudrait que tu arrêtes d'aboyer quand tu en rencontres. Mon copain Laurent ne veut même plus venir ici, à cause de toi, et tout le monde se moque de moi à l'école parce que j'ai un chien raciste. Si tu continues comme ça, plus personne ne t'aimera… et plus personne ne m'aimera non plus.

Minou perçut le bruit des croquettes que Maman versait dans son écuelle. Il bondit hors de mon lit et ne prit pas le temps de me répondre.

J'étais heureux qu'il ait pu, au moins, entendre les choses importantes que je tenais à lui dire. Il n'allait plus se sentir rejeté sans raison. Je croisai les doigts pour que ce tête-à-tête l'ait fait réfléchir, et qu'il perde son racisme avant que mes cousins arrivent.

– Mais on ne perd pas son racisme comme on perd une dent de lait, m'expliqua Maman. C'est un truc bien plus profond.

Maman était une obsédée des profondeurs. Après la nature profonde, elle abordait maintenant le racisme des profondeurs.

– Pourquoi tu parles toujours de trucs profonds ? la questionnai-je.

– Ta mère est une spéléologue de l'âme, certifia mon père.

– Ton père est un poète, ajouta ma mère.

Maman mit la télé en marche pour regarder les informations. Le présentateur était noir. Minou ne broncha pas un seul instant. Mes mots l'avaient donc convaincu. Je venais de remporter une victoire! Mes parents ne remarquèrent cependant pas le changement de conduite de notre chien. Je fus le seul à l'en féliciter.

– Je savais que tu comprendrais, lui dis-je tout bas.

En fait, il n'avait rien compris du tout. Minou avait peut-être bien un petit pois à la place du cerveau, et cela me désespéra.

En effet, lorsque tatie Cathy et sa famille arrivèrent chez nous, Minou leur offrit un accueil déplorable. Il remua la queue en saluant ma tante mais se mit à grogner très fort dès que mon oncle et mes cousins franchirent le pas de la porte. Ma tante s'étonna du comportement de notre chien.

– Il est névrosé, souligna ma mère.

CHAPITRE 5

Elle pinçait ses lèvres et touchait ses bagues, plus que jamais.

Minou mordillait le bas du pantalon de Gabriel en faisant le même bruit qu'un vieux réfrigérateur.

– Tu veux jouer, le chien? demanda mon cousin en se baissant pour le caresser.

Depuis sa dernière visite chez nous. Gabriel avait mué. Sa grosse voix ne semblait pas plaire à Minou, qui lui mordit la main. Un petit coup de dents, juste pour lui dire de se taire et de ne pas l'ennuyer davantage.

– Heu... il est un peu bizarre, non? avança Gabriel.

– Il a l'air possédé! ajouta Lucie. Il a une tête de maboul.

– Il est juste un peu névrosé, répéta Maman, avant d'enfermer le chien dans la salle de bains.

Le lendemain matin, alors que mes cousins et leurs parents se promenaient, Maman se décida à consulter le vétérinaire. Il lui confirma que Minou souffrait bien d'un traumatisme de la toute petite enfance. En effet, personne ne savait ce qu'il avait vécu avant d'atterrir sur notre paillasson. Le vétérinaire conseilla à Maman de prendre rendez-vous avec un psychologue pour animaux. Devant l'étonnement de ma mère, il expliqua :

– C'est la même chose qu'avec les hommes, le psy n'est pas forcément une réponse à tous les malheurs, mais, de temps en temps, il peut dénouer quelque chose.

Ma mère attesta que le psychologue pour chiens avait surtout bien dénoué notre bourse. Minou et Maman l'avaient consulté deux fois, en cachette, car nous n'avions toujours pas dévoilé la vérité à tatie Cathy. Et cependant, malgré ces consultations, le chien demeurait tout aussi pénible avec nos hôtes. Le psy lui avait pourtant prescrit une ordonnance d'antidépresseurs. Il avait garanti que ces médicaments allaient l'apaiser un peu. Maman avait fait remarquer que notre chien n'avait pas l'air déprimé. Mais l'homme avait rétorqué qu'il fallait se méfier des dépressions couvées.

«Couvé», c'était le mot qu'il avait utilisé, comme un œuf pas éclos. Une dépression pouvait exister à l'état d'œuf chez les chiens. Tout cela commençait à me paraître complexe. Maman m'expliqua que Minou était sans doute très triste au fond de lui. Ce qui ne m'étonna guère venant d'une mère spéléologue de

l'âme. Puis elle me raconta que le psychologue lui avait conseillé de suivre, elle aussi, une thérapie.

« L'état psychologique d'un chien reflète forcément celui de ses maîtres », avait-il ajouté. Ma mère lui avait assuré qu'elle n'était ni déprimée, ni raciste, mais le type lui avait soutenu qu'elle ne se connaissait sans doute pas encore très bien.

CHAPITRE 5

– 160 euros foutus en l'air ! grommela ma mère en m'accompagnant à l'école. En plus, cet imbécile de « psychochien » m'a fait me poser des questions sur moi-même.

– Sur ta nature profonde ? formulai-je pour lui faire plaisir, et lui montrer que je me souvenais de ses leçons.

– Tout juste, mon grand ! Je me dis que le psy n'a peut-être pas tort. Je pourrais être raciste. À mon avis, si l'on creuse un peu, on est tous un peu racistes… et tous un peu déprimés…

Elle soupira et déclara que Minou était sans doute un gentil chien mais « qu'il finissait par lui sortir par les trous de nez ».

– La situation est invivable à la maison. On ne va pas le laisser encore une semaine enfermé dans les toilettes ! Il va falloir trouver une solution, annonça-t-elle.

CHAPITRE 6

En revenant de l'école, je racontai nos malheurs à Emma. Elle avait toujours rêvé de s'occuper d'un chien et me proposa de garder Minou chez elle pendant la semaine, si cela pouvait nous aider. Je lui demandai ce que je pourrais faire pour elle en échange. Elle n'hésita pas un instant :

– Tu pourrais m'embrasser sur la bouche, parce que je crois que je suis un petit peu amoureuse de toi.

Sa réponse me laissa sans voix. Jamais je n'avais remarqué qu'elle s'intéressait à moi. Mes jambes se mirent à trembler. Je ne savais plus où regarder, alors je fixai son poignet. Elle avait une montre en forme de tête de mort.

– Heu… elle est bizarre ta montre, elle est neuve ? me renseignai-je.

J'aurais raconté n'importe quoi pour changer de sujet de conversation.

– C'est mon grand frère qui me l'a offerte pour mon anniversaire. Ma mère ne veut pas que je la mette, mais je la porte tout de même quand elle n'est pas là, pour être sympa avec mon frère. C'est compliqué de plaire à tout le monde. Alors, c'est oui pour le baiser ? enchaîna-t-elle en prenant mon menton dans la paume de sa main, et en me fixant de ses deux grands yeux couleur Nutella.

Je me sentis devenir tout rouge, et tout étrange. Elle ne lâchait pas mon menton, elle attendait.

– Tu veux que je garde ton chien, oui ou non ?

– J'aimerais bien mais...

– Tu n'as jamais embrassé une fille, c'est ça ?

– On, on, on est trop jeunes pour faire ça, bégayai-je, tout en sentant bien que je ne pourrais lui résister très longtemps.

– Y a pas d'âge pour tomber amoureux, répondit-elle avec assurance.

Et elle tendit ses lèvres vers ma bouche, en fermant les yeux.

Nous nous étions arrêtés dans la rue. J'avais peur que quelqu'un ne nous voie, peur de faire une grosse bêtise, peur d'Emma, certainement. Je regardai à droite, à gauche, et déposai un rapide baiser sur ses lèvres.

Elle rouvrit les yeux en proclamant :

– C'était divin. Tu es mon amoureux maintenant.

J'eus alors l'impression d'être un autre moi. Je me sentais plus fort et presque aussi mûr que mes parents. J'avais franchi deux étapes d'un coup : celle de l'amour et celle du premier baiser. Je n'aurais pas pensé qu'il était si facile d'avoir une amoureuse. Cela semblait assez rassurant pour l'avenir. Contrairement à ceux qui fâchaient ma grand-mère en laissant filer les années, sans jamais exprimer leur amour, Emma, elle, faisait apparemment partie des personnes qui prenaient le temps de communiquer leurs sentiments. Je me félicitai d'avoir déjà vécu des choses que d'autres attendaient toute leur vie.

À la maison, mes cousins me trouvèrent « décalqué », parce que je répondais « C'est cool » à tout ce qu'ils me disaient.

En m'entendant parler, Minou se mit à japper très fort, derrière la porte de la salle de bains. Ma mère n'en pouvait plus de ses aboiements. Depuis qu'elle avait vu le psy pour chien, elle se montrait bien plus nerveuse que d'habitude.

– Je suis dans une période de remise en question profonde, expliqua-t-elle à table, alors que tatie Cathy s'étonnait du sérieux peu habituel de sa belle-sœur.

Il y eut un long silence ponctué par les appels au secours de Minou. J'annonçais alors qu'Emma avait proposé de le garder chez elle. Mes parents parurent soulagés.

– Il faudra offrir un cadeau à ton amie, en échange du service qu'elle nous rend, conseilla ma mère. C'est très sympa de sa part.

Je me sentis rougir de nouveau. Je ne pouvais pas dire à Maman que j'avais déjà payé ma dette.

– Pourquoi t'es tout rouge quand on parle d'Emma ? constata Lucie. T'es amoureux ?

– Pas du tout. Le gratin de pâtes est trop chaud, c'est tout, rétorquai-je.

CHAPITRE 6

Ma tante fronçait les sourcils depuis quelques minutes.

– Il y a quelque chose qui m'échappe, s'inquiéta-t-elle. Pourquoi votre chien se tiendrait-il plus tranquille chez la voisine que chez vous ?

Maman en avait probablement assez de répéter que Minou était névrosé, Papa comptait pourtant sur elle pour trouver rapidement une explication, et moi j'essayais juste d'être moins rouge. Lucie ne cessait pas de me regarder avec un air coquin, un air qui disait : « Le gratin n'est pas chaud, tu mens très mal. » Ma tante attendit donc longtemps qu'on lui réponde. En vain.

– Soit on prend un chien et on s'en occupe, soit on n'en prend pas ! poursuivit-elle finalement. Vous laissez cette

pauvre bête enfermée des heures dans la salle de bains. J'ai du mal à comprendre, moi. À mon avis, ce n'est pas pour rien qu'il grogne comme ça. Il n'est pas heureux ici, voilà tout !

Ma mère tenta de se justifier, mais les mots ne parvinrent pas à sa bouche. Elle émit juste un bruit de lavabo bouché, qui fit beaucoup rire Gabriel et Lucie. Tatie Cathy quitta la table, ouvrit la porte à Minou et le prit dans ses bras. Il était si content qu'il se mit à lui lécher le visage.

– Oui, mon toutou, tu es gentil, répétait ma tante en le caressant. Vous voyez qu'il est inutile de le séquestrer comme vous le faites, nous blâma-t-elle.

Elle eut à peine le temps de terminer sa phrase que Minou aperçut Gabriel à sa droite et s'empressa de lui montrer ses crocs.

Mon cousin l'imita. Il riait en sortant les dents et en singeant les grognements du chien. Minou ne trouva pas cela drôle du tout. Il quitta les bras de ma tante et bondit férocement sur son fils.

Ma tante attrapa le chien par le collier et lui flanqua une grosse fessée. Minou se recroquevilla tout penaud dans son panier.

– Voilà comment on éduque les chiens! Visiblement, il a juste manqué de fessées, supposa-t-elle calmement.

Mon père et sa sœur avaient reçu de grosses fessées lorsqu'ils étaient enfants. Papa soutint que ces coups ne les avaient pas rendus plus sages, ni l'un, ni l'autre, mais que lui se sentait, depuis, incapable de lever la main sur qui que ce soit.

Ma tante prétendit que lorsqu'on ne parvenait pas à s'expliquer autrement, les fessées étaient pourtant bien utiles.

– Il y a toujours des moyens de s'expliquer autrement… répliqua Papa tandis que Minou geignait dans son panier.

CHAPITRE 6

Je rejoignis Minou pour lui faire un câlin. Cela me chagrinait de le voir ainsi. Ma tante soutint que la fessée ne servirait à rien si je consolais mon chien dans la foulée. Mon père, de son côté, m'assura que les caresses n'étaient jamais inutiles. Il n'était visiblement toujours pas d'accord avec sa sœur. Pourtant ils avaient été élevés ensemble et de la même façon. Ma mère leur fit remarquer qu'une même éducation pouvait donner des résultats diamétralement opposés. Mais le frère et la sœur poursuivaient leur discussion stérile, en s'énervant de plus en plus l'un contre l'autre. Mon oncle Jean-Philippe déclara alors qu'il n'avait jamais approuvé les idées de tatie Cathy en matière de punitions. Il trouvait cela vieux jeu et peu réfléchi, comme comportement. Gabriel et Lucie prirent le parti de leur père.

Tatie Cathy se mit en colère. Elle gigotait les mains dans tous les sens.

– Mais enfin, vous me faites un procès, juste parce que j'ai tapé un chien agressif. C'est vous qui ne réfléchissez pas. Il allait mordre Gabriel, tout de même!

Minou ronronnait maintenant. Je le rassurai. Mon oncle, irrité par ma tante, s'avança vers nous en disant:

– Excuse-nous, Minou, ma femme est une sauvage. J'espère qu'elle ne t'a pas fait mal.

Minou se remit à grogner. Je l'immobilisai au sol en appuyant sur son dos de toutes mes forces.

Mon oncle approcha sa main de Minou. Mon chien souleva ses babines en émettant des sons graves et enroués.

– Il va te mordre! Je t'aurai prévenu! s'écria tatie Cathy.

CHAPITRE 6

Mes parents regardaient la scène comme un film. Ils se sentaient impuissants. Ma mère croisait les doigts derrière son dos, pour que Minou n'attaque pas Jean-Philippe.

CHAPITRE 7

La sonnerie de la porte mit fin au suspense. J'allais ouvrir et rougis de nouveau très fort lorsque Emma entra chez nous.

Lucie riait en douce.

– Coucou, Emma ! s'écria-t-elle. On parlait justement de toi, il y a cinq minutes… de toi et de gratin de pâtes.

Emma nous fit un signe de la main, sans prendre le temps de vraiment saluer qui que ce soit. Elle ne regardait que

moi. Ses yeux étaient un peu trop amoureux. J'avais peur que tout le monde ne devine ce qui se passait.

– Mes parents veulent bien que l'on prenne ton chien raciste dès ce soir, m'apprit-elle. Ça vous fera une nuit tranquille en plus.

J'aurais aimé photographier l'expression de stupéfaction sur le visage de chaque membre de ma famille.

Ce que nous avions caché à la famille de tatie Cathy depuis plus d'une semaine venait d'entrer brusquement chez nous, comme un cyclone dévastateur.

Emma nous observait maintenant, chacun à notre tour. J'étais incapable de bouger. Son entrée fracassante m'avait transformé en statue. Même mes cordes vocales semblaient paralysées.

– Oups, vous êtes à table, réalisa-t-elle, je suis désolée, je reviendrai plus tard.

Elle repartit chez elle. Minou la suivit. Je me tenais devant la porte ouverte, la main posée sur la poignée.

J'ignore pendant combien de temps nous restâmes tous, ainsi immobiles, incapables de continuer à exister normalement. Nous pensions être devenus invisibles ou inexistants. Cette attitude nous mettait temporairement à l'abri de toute discussion. Mes parents auraient alors certainement donné très cher pour disparaître complètement.

Emma revint en portant Minou. Elle éclata de rire en constatant que nous étions toujours exactement à la même place.

– Heuuu… Vous habitez dans une photo ou quoi ? demanda-t-elle.

Elle déposa le chien dans l'entrée et décréta :

– Quand tu auras fini de manger, viens chez moi avec la laisse, le panier, les croquettes, le chien… et tes fossettes.

Elle m'embrassa tendrement la joue. Je sursautai et sortis de ma torpeur. Le claquement de la porte remit tout le monde en état de marche.

– UN CHIEN RACISTE ! réagit ma tante avec de longues minutes de retard, qu'elle ne semblait pas avoir senti passer.

– C'est quoi, ce délire ? Minou, le chien tout blanc, est devenu membre du Ku Klux Klan ! s'exclama Gabriel.

– C'est quoi, le cucul clan ? m'informai-je.

– Pas cucul ! Ku Klux ! Ce sont des Blancs qui chassaient et tuaient les Noirs aux États-Unis, juste parce qu'ils les trouvaient inférieurs. Ils s'habillaient comme des fantômes pour qu'on ne puisse pas les reconnaître, m'expliqua Gabriel.

– Minou ne veut de mal à personne, dis-je tristement. On ne sait pas pourquoi il est comme ça. Parfois, on ne comprend pas tout chez les autres…

Comme notre chien avait recommencé à s'exprimer d'une façon désagréable, ma mère l'enferma de nouveau dans la salle de bains, et revint la bouche pincée.

– Ben voilà, vous le savez maintenant… Minou n'aime pas les Noirs.

Lucie éclata de rire :

– Délirant ! C'est sûrement parce qu'il est tout blanc !

– Il est juste malade, lança mon père.

– Déprimé, ajouta Maman.

– Si tous les déprimés se mettaient à détester les Noirs, il y aurait un sacré paquet de gens racistes sur Terre, répliqua Jean-Philippe, l'air espiègle.

Il n'avait pas l'air de prendre trop mal la nouvelle.

– Mais, Papa, il y a DÉJÀ un sacré paquet de gens racistes sur Terre ! s'exclama Lucie.

– Le psy pour chien a même prescrit des antidépresseurs à Minou, précisa Maman. Mais ça n'a pas l'air de faire trop d'effet.

– Le psy pour chien !!! Hahahaha ! Vous êtes trooop fêlés dans cette famille ! J'imagine Minou allongé sur un divan ! Hahaha !

Ma cousine s'étouffait de rire.

Son frère l'imita rapidement. Tatie Cathy leur ordonna d'aller étouffer dans une autre pièce.

– Dans la salle de bains, ça te va ? s'amusa Lucie.

Elle se remit à rire de bon cœur et s'enferma dans ma chambre avec Gabriel. On pouvait les entendre glousser du salon.

– Pourquoi ne nous l'avez-vous pas dit plus tôt ? s'inquiéta tatie Cathy d'un air grave.

– On avait honte, avoua Papa. Mais finalement, je suis content que la petite voisine ait crevé l'abcès. Ça va être bien plus simple maintenant... Ce n'est quand même pas si grave, n'est-ce pas ?

Ma tante reprit trois fois du clafoutis en essayant d'imaginer comment Minou avait pu devenir raciste.

– Ça ne vient pas de nulle part, tout de même, répétait-elle.

– En tout cas, ça ne vient pas de nous, précisa ma mère qui ne supportait pas l'idée qu'on puisse nous prendre pour ce que nous n'étions pas.

Je conduisis Minou chez Emma. Elle avait l'air ravie de s'occuper de lui. Elle installa son panier au pied de son lit. Son père me salua et s'accroupit pour caresser Minou.

– Alors, mon copain tout blanc, il paraît que tu n'aimes pas les Noirs, toi non plus ? chuchota-t-il.

Je m'étranglai en avalant ma salive. Dès qu'il fut sorti de la chambre d'Emma, je m'exclamai :

– Pourquoi il a dit ça, ton père ? Qui n'aime pas les Noirs, ici ?

– Lui ! m'assura Emma sans hésiter. Il est gentil mais pour ça, il est débile. J'y peux rien. En fait, il est comme ton chien.

– Mais ton père n'est pas un chien. C'est plus embêtant quand même.

– Au moins, il ne grogne pas et on ne doit pas l'enfermer dans la salle de bains pour avoir la paix, plaisanta Emma.

Elle avait un très beau sourire. Je me remémorai notre baiser et sentis alors des frissons remonter le long de ma colonne vertébrale, comme des petits serpents.

Avant de rentrer chez moi, je câlinai Minou et lui expliquai la situation. J'avais toujours l'espoir qu'un jour mes mots le toucheraient et le feraient changer d'avis.

– Te fatigue pas, me conseilla Emma. J'ai essayé cent fois de convaincre mon père que les Noirs étaient comme les Blancs… Il n'y a rien eu à faire. Quand il y a quelque chose qui coince à ce point-là, ce ne sont pas les mots des autres qui peuvent être utiles.

– Ben alors, qu'est-ce qui peut être utile ?

– Si je savais… Il nous faudrait sans doute une bonne fée. Moi, ça me rend triste d'avoir un père comme ça.

– Moi, ça me rend triste d'avoir un chien comme ça.

Emma s'assit sur son lit et tapota son matelas pour m'inviter à prendre place à côté d'elle. Elle mit sa tête sur mon épaule.

– On est pareils, toi et moi. C'est pour ça qu'on s'aime, murmura-t-elle.

CHAPITRE 7

Je ne savais pas comment réagir. Mon cœur battait très fort. Je me sentais gauche et nigaud, mais j'aurais cependant voulu que cet instant dure très longtemps.

Minou, sans doute un peu jaloux, vint s'installer entre nous. Et puis, la mère d'Emma me renvoya chez moi, parce qu'il était l'heure de dormir.

CHAPITRE 8

Lucie ne se priva pas de me taquiner tant qu'elle le pouvait.

– Alors, ça s'est bien passé chez ta chérie ?

– Son père est raciste, dis-je, pour qu'elle arrête de me parler d'amour.

– Ça alors ! Il doit y avoir quelque chose dans l'eau du robinet de votre immeuble, rétorqua-t-elle. Parce qu'en plus vous avez aussi la vieille madame Orpanifluz, qui fait une fixette sur les loubards basanés... Tu imagines, si tous les gens qui avaient bu de l'eau du robinet, ici, devenaient racistes... Quel flip !!!

– Oui mais, que se passerait-il si les Noirs de l'immeuble buvaient aussi de l'eau contaminée ? envisageai-je.

– On deviendrait racistes nous aussi. On détesterait les Blancs.

– Ça existe, le racisme dans l'autre sens ? m'étonnai-je.

– Bien sûr, intervint mon oncle. Il n'y a pas de sens pour le racisme. La différence, c'est juste que les Noirs, eux, ont peut-être de véritables raisons de ne pas aimer les Blancs...

Il nous parla d'esclavage, de colonialisme, de préjudice racial, de délit de faciès et de tant d'autres choses dont je n'avais jamais entendu parler avant. Et puis tatie

Cathy surenchérit en me résumant les histoires de Martin Luther King, de Nelson Mandela et de Rosa Parks... Je n'en revenais pas que la vie des Noirs ait été, de tout temps, abîmée par des Blancs. Je n'en revenais pas de toutes ces luttes qui avaient été menées par le peuple noir pour obtenir le droit de faire des choses simples, comme aller à l'école, voter, prendre un autobus, entrer dans un lieu public ou travailler à des postes importants. Minou m'avait permis de découvrir d'un seul coup ce que j'aurais probablement appris avec le temps. Cependant, cette avalanche brutale d'informations me bouscula si fort que je sentis les larmes me piquer les yeux. J'avais mal pour tous ceux qui avaient souffert de la bêtise des Blancs. Jusqu'ici, je n'avais rencontré le racisme que chez des gens dérangés comme madame Orpanifluz.

Nelson Mandela
Rosa Parks

CHAPITRE 8

Mes cousins, eux, n'écoutaient pas leurs parents. Ils semblaient déjà connaître ces histoires par cœur. Lucie dansait et se regardait dans le miroir de l'entrée, en écoutant la musique de son iPod, Gabriel terminait le clafoutis, tandis que ma mère disait à tatie Cathy :

– Le père d'Emma, raciste ! Bon sang ! Je n'en reviens pas. Il a pourtant l'air sympa comme ça.

– Ne jamais se fier à la couverture d'un livre ! Jamais ! répondait tatie Cathy à tout ce qu'ajoutait ma mère.

Mon père, lui, faisait la vaisselle en reconnaissant qu'il était bien agréable, pour une fois, de ne pas entendre japper Minou.

Moi, j'étais triste. Triste d'être blanc, triste pour les Noirs, triste d'avoir sou-

dain découvert que les gens manquaient sans doute trop souvent d'intelligence et d'humanité, triste de faire partie de ces mêmes gens idiots, et triste de savoir que mon toutou n'allait pas dormir chez nous. Je craignais qu'il n'ait peur sans moi. Je mis longtemps à trouver le sommeil. J'avais envie d'aller sonner chez Emma pour vérifier que tout allait bien. Mais il était bien trop tard. De toute façon, j'avais soudain l'impression qu'il était bien trop tard pour tout et que nos envies et nos bagarres ne servaient à rien face à la faiblesse et à la bêtise humaines.

Le lendemain matin, je me réveillai aux aurores. Pourtant on était dimanche et les vacances de la zone parisienne venaient de commencer. J'avais tellement hâte de revoir Minou. En attendant une heure décente, je me mis devant la fenêtre et j'aperçus la jolie dame du cinquième qui faisait son jogging. J'en conclus qu'elle devait effectivement habiter avec Risotto. Je vis aussi madame Orpanifluz. Elle sortait toujours de bonne heure faire ses courses parce que, selon elle, « les voyous basanés n'étaient pas des lève-tôt ».

Vers neuf heures, j'entendis une porte claquer. Je me précipitai vers le palier. Je croisai ma cousine dans notre entrée. Elle venait de se lever et se dirigeait en traînant les pieds vers la cuisine. Elle me regarda partir comme une flèche, et marmonna :

– Whaa ! T'es grave amoureux, toi !

– T'as rien compris, lui dis-je seulement, avant de claquer la porte.

Lucie avait pourtant raison. J'avais, certes, hâte de revoir Minou mais j'étais aussi impatient de retrouver Emma, dont le baiser et les mots tendres ne parvenaient pas à s'effacer de ma tête.

– Salut ! me lança Emma tandis que mon chien l'entraînait vers l'ascenseur, en tirant sur sa laisse. Tu viens te promener avec nous ?

Je courus derrière elle. Minou me fit la fête. Emma me confia qu'il avait été très sage, même s'il l'avait réveillée tant il parlait dans son sommeil.

– Grâce à ton chien, j'ai pensé à toi toute la nuit. C'est beau l'amour, hein ? claironna-t-elle.

Je trouvais qu'Emma en faisait un peu trop, mais chaque fois qu'elle me parlait ainsi, je sentais mon corps faire des vagues à l'intérieur. C'était une sensation nouvelle, à la fois très agréable et un peu inquiétante. Les mots d'Emma réveillaient une petite usine en moi. Ils déplaçaient des choses dans mon cœur, dans mon ventre, dans ma tête. Je ne répondis rien. Elle me prit la main.

Dans la rue, nous croisâmes Laurent. Il revenait de la boulangerie avec un pain et deux croissants. Nous lui fîmes un signe. Il traversa pour nous éviter.

J'étais vexé qu'il continue à me bouder ainsi. Je l'aimais bien et j'aurais préféré qu'il reste mon ami, comme il l'avait toujours été avant l'arrivée de Minou. Emma reconnut qu'elle n'avait jamais pu être proche de Laurent, à cause de son père. En effet, il refusait de saluer les personnes noires qu'il croisait dans l'immeuble et entretenait ainsi de mauvaises relations de voisinage. Parfois, Emma avait hâte d'être grande pour ne plus habiter avec lui.

– Mais ta mère, elle n'est pas comme ça, au moins ? demandai-je.

– Ma mère ne peut pas être comme ça ! Son premier mari était africain.

– C'est peut-être pour ça que ton père n'aime pas les Noirs.

– Ce serait trop simple. Rien n'est jamais si simple, avança Emma en soufflant sur la mèche de cheveux qui lui recouvrait l'œil droit. Mon père est raciste parce que ses parents et ses grands-parents étaient racistes. Il trouve ça normal.

Nous fîmes le tour du pâté de maisons en silence. Moi, j'aurais aimé que la vie soit simple et que tout le monde s'aime. Mais plus les heures passaient, plus tout le monde transformait la vision que je m'étais faite de l'espèce humaine, et cela me secouait très fort. Je prenais conscience de beaucoup trop de difficultés à la fois.

– Ne t'inquiète pas, me dit Emma, en passant son bras autour de ma taille.

Ce matin, avec ma famille, nous avions prévu de visiter Giverny, le village du peintre Claude Monet. Emma reprit Minou chez elle et me promit qu'elle s'occuperait bien de lui.

– En plus, mon père ne travaille pas aujourd'hui. Et comme il adore ton chien, Minou sera en super-sécurité chez nous, me garantit-elle.

Je n'étais pas rassuré par le père d'Emma. J'avais peur qu'en sa présence Minou ne devienne encore plus raciste.

Nous partîmes pour Giverny. Les jardins merveilleux, les fleurs multicolores, les nénuphars géants, comme ceux que peignait Monet, et les bons gâteaux du restaurant du musée me firent oublier mes récentes découvertes sur les difficultés de l'existence. Le soleil embellissait

tout ; chaque pierre, chaque branche, chaque cours d'eau semblait sorti d'un conte de fées. Des bourdons butinaient un peu partout, des touristes joyeux se reposaient en mangeant des glaces italiennes sur la pelouse un peu sèche, près du parking.

Lucie ne me taquinait plus avec Emma et se réjouissait de découvrir ce lieu champêtre. Gabriel posait beaucoup de questions sur Claude Monet et disait qu'il aimerait devenir peintre, lui aussi. Ce jour-là, tout était simple et c'était bien.

CHAPITRE 9

Mais il fallut rentrer et retrouver la vie compliquée. Laurent qui me faisait la tête, Emma qui m'aimait un peu trop fort et me chamboulait tout entier, Minou qu'on laissait en pénitence, en dehors de chez nous, en attendant le départ de mes cousins.

Emma attendait probablement notre retour devant sa porte, car elle surgit

comme un diable de sa boîte dès que nous sortîmes de l'ascenseur.

– Minou s'est échappé! Minou s'est échappé! hurla-t-elle en venant vers nous. Mon père est allé le promener au parc. Il a cru qu'il pouvait le laisser courir sans laisse, mais Minou a détalé comme un fou. Il est parti vers le lac, et mon père ne l'a pas retrouvé.

– Où est ton père maintenant? s'inquiéta Maman.

– Il cherche Minou dans le parc depuis plus de quatre heures.

Cinq minutes plus tard, mon père, mon oncle, mes cousins et moi arpentions, nous aussi, le parc à la recherche du fugitif. Je fis le tour du lac avec mes cousins. J'inspectai même les trois barques amarrées, au cas où Minou aurait décidé

de s'y cacher. Mon père appela notre chien aux quatre coins des jardins pendant que Jean-Philippe posait des questions aux gardiens et aux vendeurs de bonbons et de barbes à papa. Personne n'avait vu Minou.

Le père d'Emma était tout penaud. Il nous demanda pardon plus d'une fois et nous promit qu'il avait mis tout en œuvre pour retrouver notre chien. À aucun moment il ne s'adressa à Jean-Philippe. Il l'ignorait comme il ignorait Laurent et sa mère lorsqu'il les rencontrait.

– Si je ne retrouve pas votre chien, je vous en achèterai un autre, ça va de soi, promit-il.

– On ne remplace pas un chien comme on remplacerait une casserole, réagit sèchement mon père.

Depuis qu'il avait eu vent de ses penchants racistes, Papa n'arrivait plus à être sympathique avec notre voisin.

La nuit tombait. Les canards s'étaient endormis au bord du lac. Les arbres, les fleurs et le ciel perdaient doucement leurs couleurs. Les gardiens du parc donnaient des coups de sifflet pour nous inviter à sortir. Nous restâmes le plus longtemps possible près de la porte. J'avais très envie de pleurer. J'en voulais beaucoup au père d'Emma.

La fin des vacances ne fut pas joyeuse. Emma redoublait pourtant de gentillesse et d'attentions à mon égard. Mais je n'avais même plus envie d'être amoureux. Je ne pensais qu'à mon chien. Je l'imaginais affamé, assoiffé, errant dans les rues. Parfois même, je le voyais mort d'épuisement.

Nous avions collé des avis de recherche partout, et alerté les refuges ainsi que les deux vétérinaires du quartier.

Avant de rentrer aux Antilles, mes cousins m'offrirent un chien en peluche. Ils prétendirent qu'il m'aiderait à attendre le retour de Minou. Mais rien ne pouvait remplacer mon chien.

La maison était vide désormais. J'étais encore en vacances et je m'ennuyais. J'allais me promener dans le parc tous les après-midi. Je finissais par le connaître par cœur. Les gardiens me faisaient signe lorsque j'arrivais :

– Salut, Maël ! On n'a toujours pas vu ton chien ! répétèrent-ils pendant quatre jours.

Et puis, un soir, la belle dame du cinquième sonna à notre porte. Elle était accompagnée par le père d'Emma. Elle portait Minou dans une veste de survêtement. Il était couvert de cambouis. Il avait l'air malade, il tremblait. Il n'arrivait plus à ouvrir ses yeux. Le père d'Emma nous annonça que la voisine venait de sauver notre chien. Il semblait tellement soulagé qu'il ne s'arrêtait plus de parler.

– J'ai assisté à une scène héroïque, je vous assure! affirma-t-il. Minou titubait au milieu de la chaussée, il avait l'air épuisé. Il tirait la langue jusque par terre…

– Je faisais mon jogging et j'ai aperçu votre toutou. Comme j'avais vu vos affichettes dans le hall de l'immeuble, j'ai essayé de l'attraper, mais il a pris peur et s'est jeté sous une voiture, poursuivit la voisine.

– Vous le croirez si vous voulez mais, pour attraper votre chien et lui éviter de se faire écraser, Madame a plongé et fait une roulade, digne d'une cascadeuse! commenta le père d'Emma, en tentant de mimer la scène.

– Mais je suis cascadeuse, affirma la sauveteuse.

Elle s'appelait Paola Johnson.

Paola déposa Minou sur le canapé. Il geignait. Nous le conduisîmes rapidement aux urgences vétérinaires. Il souffrait de déshydratation et d'une fièvre inexpliquée. Il fut gardé en observation et mis sous perfusion pendant quarante-huit heures et dut, par conséquent, rester seul à la clinique. Cette nouvelle séparation me parut insupportable. Emma me consola en me serrant dans ses bras. J'aimais bien les bras d'Emma. Son parfum. Les boucles dans ses cheveux. Sa voix.

CHAPITRE 9

Lorsqu'il revint à la maison, Minou était si faible qu'il ne bougeait plus de son panier. Il me restait deux jours de vacances, pendant lesquels je pris un grand plaisir à m'occuper de lui jour et nuit. Je l'avais installé dans mon lit pour qu'il se sente rassuré.

Maman convia le vip et son amie à prendre l'apéro. Elle invita aussi Emma et ses parents. Elle voulait rester en bons termes avec tous les voisins. Papa n'arrivait pourtant toujours pas à se montrer aimable avec le père d'Emma.

– Je ne peux pas oublier qu'il est raciste, s'expliqua-t-il.

– Eh bien moi, je ne veux pas qu'il oublie que je suis bien élevée, répondit Maman. Les parents d'Emma ont tout de même gardé notre chien chez eux. Je dois les remercier.

Le soir de l'apéro, comme Minou avait repris des forces, Maman eut un peu peur qu'il ne soit désagréable avec la femme qui lui avait sauvé la vie. Paola avait la peau noire. C'était certainement pour cela que Minou avait grogné la première fois qu'il l'avait vue. Ce ne fut pas le cas. Minou fit même la fête à Paola. Mes parents n'en revenaient pas de la normalité de notre chien.

– On dirait qu'il a changé, dit Papa.

– Et on dirait que le père d'Emma, lui, est en train de changer, lui aussi, répondit Maman, regarde-le !

L'homme s'était assis à côté de notre voisine. Il lui adressait de grands sourires en lui parlant.

Il répéta qu'elle avait fait preuve d'une agilité et d'une souplesse peu communes au moment où elle avait sauvé Minou.

Risotto, que l'on n'avait pas encore entendu, se manifesta alors.

– Mais Paola est une actrice accomplie ! précisa-t-il. Elle a suivi des cours de cascade pour jouer le premier rôle dans le prochain film que je produis.

Devant nos visages étonnés, Paola ajouta malicieusement :

– Je vous l'ai dit l'autre jour : je suis cascadeuse !

Emma lui réclama immédiatement un autographe. Paola lui promit une photo dédicacée. Le père d'Emma semblait réellement sous le charme. Il tenta :

– Vous n'auriez pas une petite photo pour moi aussi ?

Emma et sa mère s'adressèrent des clins d'œil complices. Emma accueillait avec joie la métamorphose de son père. Sa mère hésitait un peu, malgré tout.

Mes parents bavardaient avec Risotto. Maman était si fière de recevoir le vip!

Quelques mois plus tard, plus personne ne parlait de mon chien raciste à l'école, Laurent était de nouveau mon ami, et Emma avait changé trois fois d'amoureux. Je crois qu'elle aimait beaucoup les histoires d'amour. C'était sûrement dans sa nature profonde. Mais je savais désormais que même cette nature-là traversait des saisons. Nous pouvions tous changer un jour. Alors j'attendais patiemment qu'elle me prenne de nouveau dans ses bras et qu'elle n'aime plus que moi.

Mes parents étaient devenus les amis d'Armand Rizot et de Paola Johnson. Un jour, ils évoquèrent le passé raciste de notre chien. Ils félicitèrent Paola pour tout ce qu'elle avait fait pour Minou. Ils

parlèrent aussi du père d'Emma qui ne manquait désormais plus une occasion de saluer Laurent et sa mère.

– Vous devez être une fée, dis-je à Paola, parce qu'il faut être magicienne pour modifier la nature profonde des gens.

– Certaines choses doivent changer un jour. Certaines autres doivent disparaître. Je suis juste passée au bon moment, répondit-elle.

Minou vint alors se coucher sur les genoux de la fée. Pour quelque temps, la vie simple avait enfin repris son cours.

Impression CPI Blackprint en mai 2016
Dépôt légal : mai 2015
ISBN : 978-2-226-31555-7
N° d'édition : 21758/03
Imprimé en Espagne